La Belle   *La Bête*   *Le père*   *La rose et la bague*

La Belle et la Bête

Adapté par Anne Royer • Illustré par Sophie Lebot

Éditions Lito

Il était une fois...

... un riche marchand qui avait six enfants. Il aimait tout particulièrement sa fille cadette, si jolie que tout le monde la surnommait « la Belle ».

Un matin, il annonça qu'il s'en allait pour un long voyage.

– Que puis-je te ramener comme cadeau ? demanda-t-il à la Belle.

– Seulement une rose, lui répondit celle-ci.

Quelques mois plus tard, le marchand était presque de retour lorsqu'une nuit, il se perdit dans une sombre forêt. Heureusement, il se retrouva bientôt devant les portes d'un splendide château et y frappa pour demander asile. Comme personne ne lui répondait, le marchand se décida à entrer. Voyant que dans la salle à manger un succulent repas était servi, il s'attabla et dîna. Ensuite, n'apercevant toujours personne, il alla se coucher.

Le lendemain matin, le marchand trouva son petit déjeuner préparé, mais, encore une fois, il demeura seul. Vaguement inquiet, il décida de s'en aller, en n'oubliant pas de cueillir une rose rouge pour la Belle. C'est alors qu'une horrible créature surgit devant lui.

– Vous me volez malgré mon hospitalité ! Pour cela, vous devez mourir ! hurla le monstre.

– Pitié Monseigneur ! balbutia le marchand. Ce n'est qu'une fleur pour ma fille…

– Sachez d'abord qu'on me nomme la Bête ! s'écria le monstre. Et puisque vous avez une fille, qu'elle vienne ici afin de mourir à votre place. Sinon, jurez-moi que c'est vous qui reviendrez…

Le marchand, fou de terreur, promit tout ce que voulait la Bête et s'en alla.

Lorsqu'il revint chez lui, il raconta ce qui lui était arrivé, et aussitôt la Belle dit qu'elle acceptait de se rendre au château. Son père s'y opposa tout d'abord, puis finit par accepter.

Au château, la Belle trouva son couvert mis et dîna en se disant que la Bête voulait peut-être l'engraisser avant de la manger.

Lorsque celle-ci parut, la Belle faillit s'évanouir de terreur, mais le monstre lui souhaita seulement une bonne nuit et s'en alla.

Le lendemain matin, la Belle passa sa journée à se promener dans le parc.

Au soir venu, la Bête apparut.

– Puis-je vous regarder dîner ? demanda-t-elle.

– Si vous le souhaitez, répondit en souriant la Belle.

– Vous devez me trouver bien laid ? finit par questionner la Bête.

– Je vous dirais oui car je ne sais pas mentir, lui dit la Belle, mais je suis sûre que votre cœur est bon.

– La Belle, voulez-vous être ma femme ? demanda alors la Bête.

– Non, je ne le veux pas, répondit la Belle en tremblant.

– Bonsoir, lui dit simplement la Bête.

Et elle s'en alla tristement.

Pendant trois mois, la Bête demanda chaque soir à la Belle si elle voulait l'épouser. Et chaque soir la Belle refusait, non sans se reprocher de faire de la peine à ce monstre au cœur si doux.

Un jour, la Belle dit à la Bête qu'elle souhaitait retourner chez elle. La Bête accepta à la condition qu'elle revienne huit jours plus tard.

– Passez cette bague à votre doigt, expliqua la Bête, et demain vous serez chez vous. Dans une semaine, enlevez-la et vous reviendrez ici comme par enchantement.

– Je vous le promets, dit la Belle.

De retour chez elle, les jours filèrent si vite que la Belle oublia sa promesse. Une nuit, elle fit un horrible cauchemar et, sortant aussitôt de son lit, elle retira sa bague.

Elle se retrouva alors comme par magie dans son lit au palais de la Bête. Angoissée, elle veilla toute la nuit puis tout le jour, attendant la visite de la Bête qui ne venait pas. Folle d'inquiétude, elle la chercha partout et finit par la trouver, gisant dans l'herbe. Elle s'agenouilla à ses côtés.

– J'ai préféré me laisser mourir, murmura la Bête, plutôt que de ne plus vous revoir…

– Mais non la Bête ! Vous devez vivre pour devenir mon époux, s'écria alors la Belle.

À peine eut-elle prononcé ces paroles que la Bête se changea en un magnifique prince.

– En acceptant de m'épouser malgré mon apparence monstrueuse, vous avez mis fin à un sortilège jadis lancé par une méchante fée, lui expliqua le jeune homme.

Chacun tenant la main de l'autre, ils pénétrèrent dans la grande salle du château, où la Belle eut la joie de trouver toute sa famille rassemblée pour célébrer leurs noces.